시즌1 주빈 FOCUS 1

그러니까, 나는 그때 그곳에서
히어로인 주인공을 기다리는 사람들처럼

누군가 나타나서
나를 구해주길
간절하게 바라고 있었다.

좋아하지 않는 것들로
가득한 장소,

마치 학창시절
쉬는 시간의 수다처럼
영양가 없는 시시껄렁한 대화들은

대학에 와서도 여전히 변한 것 없이

가볍고, 피곤하기만 했다.

조교인 날 봐서라도
한 번만 와주라, 응?

너 안 오면
안 온다잖아~

하아..

솔지한테
그냥 빠진다고
말할걸…

아니…
절대 말 못했을 거다.

졸리다….

저기!

너 솔지랑 같은 고등학교 나온 애, 맞지?

…네?

맞지? 맞네!!

와_진짜 잘생겼네

내가 난시가 심해서. ㅋㅋ

너무 잘생겼다~

우리가 저쪽 테이블에 앉아있어서 긴가민가했어.

야 진짜 인사 좀 하자!!

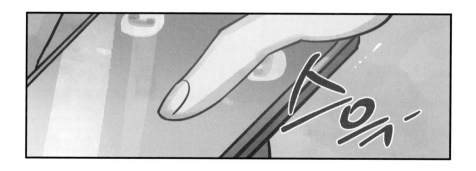

저… 죄송합니다.

통화 좀 하고 들어올게요.

응?

어! 그래그래 다녀와야지~.

빨리 와!!

물어볼 거 X나 많아!!!

네…. 다들 제대로 취했네….

그리고 그날

달칵

눌러주세요

찬바람도 좀 쐬고 들어가야겠…

기나긴 지루함과 피곤함 속에서

아.

죄송합니다.

여보세요?
뭐야!
듣고 있어?

어?

어, 미안.

좀 취했나 봐.
갑자기 개강 총회
끌려나와서.
근데 방금 뭐…

여보세요? 여보세요? 안린??

…끊었네.

…와아.

그려보고 싶다….

……

…?

혹시 저한테 할 말 있으세요?

깜짝

네?!

아, 아뇨!

네 아뇨는 뭐예요?

아… 하하 그러게요….

19

제가 너무 쳐다봤죠….

죄송합니다….

괜찮아요. 흡연해요?

아뇨! 비흡연자라….

응…? 그래요??

뿐…

그렇게 의외인가;

내가 좀 떨어져야겠네….

엇, 저기요!!!

......

피식—

누구에게나
말을 걸 수 있는
인기인 같은

그가 가진
독특한 분위기
때문이었을까?

같은
학교인가 봐요.

...!

안에 과 쫑파티
테이블이랑.

형, 혹시… 웹툰 보세요?

으응?

뭐예요…. 초면인 사람 휴대폰 화면 훔쳐보고.

…!

죄송합니다! 그냥, 보여서 저도 모르게….

하하. 아니에요.

웹툰 맞아요.

곁눈질로도 제대로 보셨네요.

그 겨울이 지나고

하하!!

우리는 다음 해 여름에 다시 마주쳤다.

스케치
SKETCH

다음 해 여름

아.

시간이 꽤 지났네.

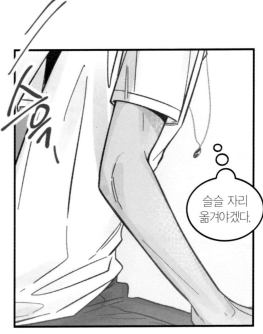

슬슬 자리 옮겨야겠다.

덥다더니 별로
덥지도 않네.

멈칫.

와아~.

......?

안녕하세요~.

누…구….

아아아 저희~ 다른건아니구요 어우놀라셨죠저희는 그냥연구생인데요~.

저얼대로 수상한게아니고 저희동아리설문지 하나만작성해주실수 있으실까요^^

숨 쉬면서 말하세요….

누가 봐도 수상한 악의 없는 웃음

설문지요?

어떤…

인터뷰 같은 건데 대학생 대상으로 자료가 좀 필요해서요~.

잠깐이면
되는데 바쁘신 것
같아서~.

헉. 혹시,
아이돌 연습생?
너무
잘생기셨는데.

…네?

연습생이요??
아뇨…?

어이 X

지금
무슨 말씀을
하시는 건지….

이거 딱!
하나만 작성
해주세요.

잠깐….

저희
이 땡볕에서
한 장도
못 받았어요~.

땡볕??
오늘 별로
안 덥지
않나?!

는….

응?
이게 뭐야.
여기서 뭐 해?

왜 이렇게
안 오나 했더니
이런 거나
보고 있었어?

가자,
이주빈.

저기...
이것 좀 작성~

하하!

아니에요~
괜찮아요^^

이 사람은?
아니, 그보다···.

하아….

말도 안 돼…!

그 형이잖아!
얼마 만이지?

두근..

와아아….

작년 3월에 처음 보고,
지금이 벌써

7월 말이니까

잘 가~

시간이
벌써 그렇게
됐구나….

첫인상과 또 다른 모습이었다.

내 편견이었을까?

두근..

다시 한 번 내 생각을 벗어난다.

그날, 웃긴 했어도 초면이라 그런지
간간이 보인 표정은 차가워 보였는데

와- 오늘 진짜 덥다!!!

뛰었더니 쓰러질 것 같아!!!

누구지.

꾸벅..

그런 목소리도 낼 줄 아는 사람이구나….

가자, 이주빈!

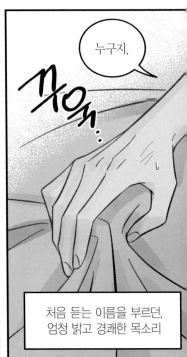

처음 듣는 이름을 부르던, 엄청 밝고 경쾌한 목소리

저기, 솔지야…

너 남자친구… 말이야

남자친구??

애인은 아닐 테고.

아, 내가 말 안 했지?

헤어졌어. 4월에. 만우절에.

처음엔 진짜 장난인줄.

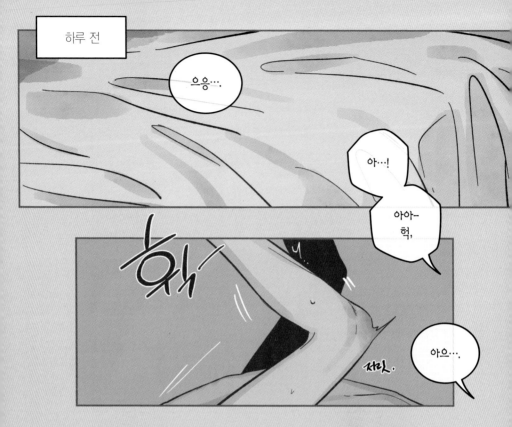

으응….

아…!

아아-
헉,

아으….

허억….

…아!!!

흐으…

헤어지자는 거

……,

농담 아니지…?

아 잠깐,

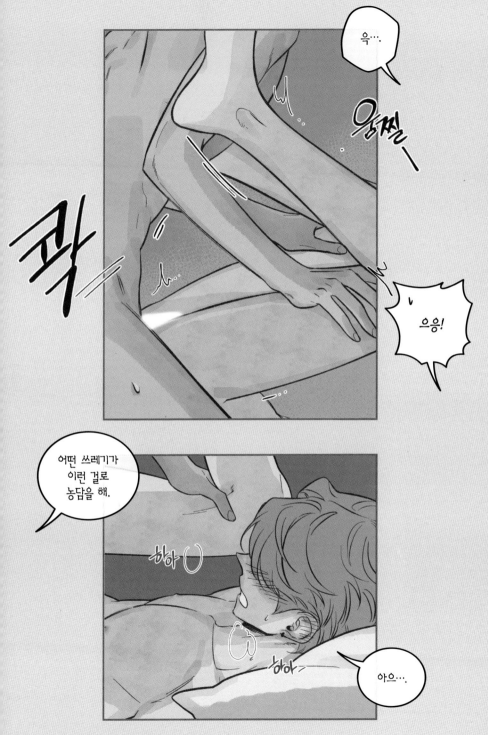

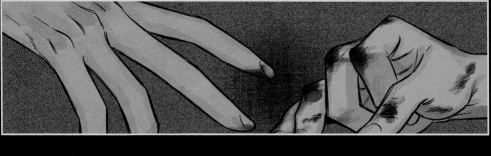

기어코 파편에 손을 베인다.

그게 나의
관계방식이었다.

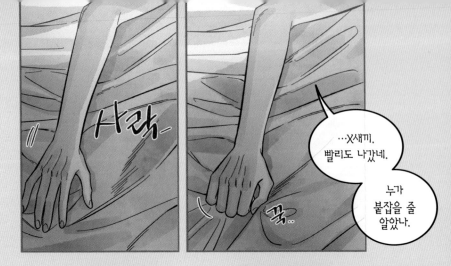

…X새끼.
빨리도 나갔네.

누가
붙잡을 줄
알았나.

매너도
없이….

윽.
허리야.

…….

아.

다시
혼자구나.

헐

와… 진짜
개잘생겼다.

에이…
예쁜 편 아님?

음?

아야

반만 좀
닮아봐

작년에 식당 앞에서
만났던 걔잖아?

살이 좀 빠졌나?
못 알아봤어.

한 번만
작성해주세요~

나중에
저희가···

아뇨,
괜찮아요

신경 쓰이게 만드네.

여기서 뭐 해?

뭐지?

흠―

어쩌면 나는

상처가 생기면 아물고,
아물면 다시 다치기를 반복하면서

무언가를 기대하는 것도 같았다.

야!
최이경!!

짝!

!!!

깜짝!

너 혹시
무슨 일
있었어??

하루 종일
넋이 나갔네…

안 린 / 웹툰 작가

최이경과 미술
학원을 같이 다님

화악-

……!

내, 내가
그랬어…?

그래.
방금도.

왜 몰랐냐는
반응이야.

미안…
어제 잠을 좀
엉망으로 잤더니
그런가 봐.

……

야작..

음~
아무튼.

여기서
어떻게 갈까?
이 베드씬.

…어?!

…저기,

아, 아냐…
괜찮아….

퍼석…

진정해…

미안….

진짜
괜찮아!

이런 얘기를
너한테 캐묻는 내가
미안하지….

다른 것도 아니고
비엘 웹툰인걸ㅋㅋㅋ
흔쾌하게 도와줘서
매번 고맙다.

새삼스럽게
무슨….

나도
아무렇지 않으니까
도와주는 건데 뭐.
직접 그리는 것도
아니고….

아~ 대신
그려줬으면
좋겠다!!

야…

근데…
좀 궁금하긴 해.

아무래도
내가 방금처럼,
베드씬 같은 거 물어보면
너도 상상을 좀
해봐야 하잖아.

너 진짜
아무렇지도
않아?

하루 전, 깜빡 잠들었던 최이경 시점

이거…
설마.

맞지?
저지른 거지?

미쳤어,
최이경…?

사춘기야!?!

!?

허, 헐…
잠깐…

그 사람…

설마……

씨익

진짜… 끝내주게 좋았다는 거다….

윽…

죄송합니다….

키득..

쫄았어?

쪽ㅡ

! 아,

아ㄴㅡ

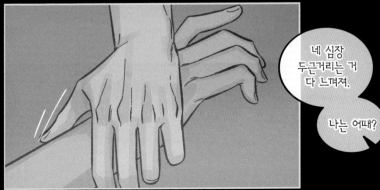

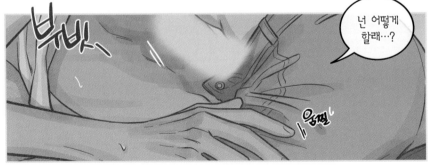

이,

이경아아…

손 좀…

…너무
꽉 잡아서
아파.

아…!
죄송해요.

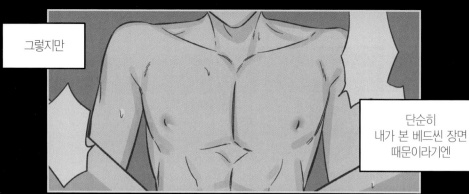

그렇지만

단순히
내가 본 베드씬 장면
때문이라기엔

한번도 본 적
없는 그 표정이랑

꿈이 맞는지
분간이 안 되는
가쁜 숨소리는

전부 내가 만든
상상이잖아….

형.

이름
알려주세요.

핫,

아, 그…

푸슈쉭...

......
......

왕찔,

진짜 아무렇지…

않아……!

거짓말…

괜찮을 리가 없잖아…

스케치
SKETCH

그날 이후로도

나를 복잡하게
만들었던
이름도 모르는
그 형은,

…심심찮게 내 꿈에
나타났다.

또나ㅏㅇ에!!

하….

자취해서
진짜 다행이다….

죄책감…

몰라~ 아니.
초등학교도 아니고
이걸 갑자기 왜
쓰라는 거야.

이런 거 적어도
먹고 놀다가
시간 다 갈 텐데.

난 연애나
할까 봐.

지금도
동아리 받아주나?
야. 넌 어때??

영화동아리
같은 거~

싫어.
관심 없어.

넌 진짜
학교를 무슨
재미로 다니냐….

야 빨리 적어.
너 남으면
안 기다릴 거야.

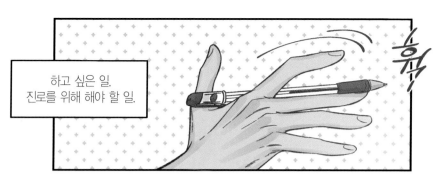

하고 싶은 일.
진로를 위해 해야 할 일.

나를 이끌어갈
목표를 만든다는 건
부담이 되어
점점 무거워지는데

나는 아직도
이런 질문을 보면
머리가 새하얘진다.

그러던 중
등 떠밀듯 알아본 건
단기 알바였고,

면접을 봤던 곳에서
운 좋게 추천을 받아

스튜디오에서
모델 알바를 하게 됐다.

Type
Studio

여기다.

꿀꺽..

Type
Studi

그냥
들어가면
되나??

저―

안녕하세요….

슬쩍

끼익!

어!!

안녕하세요!
얼른 들어와요!

네…!

우와……

오는 데
안 힘드셨어요?

오늘
엄청 덥죠~.

네… 좀.

저도 방금 와서
에어컨 틀었어요.

찬바람
돌 때까지 편하게
앉아있어요.

이것만 정리하고
오늘 촬영
알려드릴게요.

더워서
죽을 것 같…

…은데.

…어.

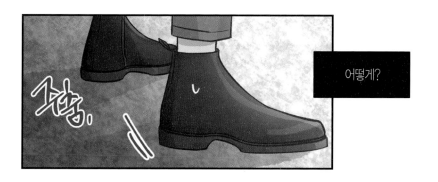

어떻게?

이 사람이

왜 여기에…

안녕…?

와, 정말요?!

진짜 신기하다!!

그래서 어떻게 됐어요?

아는 척하면서 그 공원 건너편까지 같이 뛰어갔어.

그리고 난 피곤해서 집에 갔고….

단호하게 거절할 것 같은데 의외로 거절 못하네요.

익숙.

하하… 그런 말 자주 들어요.

그건 그렇고, 선배 다른 사람 얼굴 기억 잘 못하잖아요?

이경 씨 마스크가 정말 좋긴 해요, 그죠?

그러고 보니 다시 이쪽 일 하고 싶다고 했잖아요.

선배는 그때 이 친구 보고 아무 생각 안 했어요?

......!

한 번 찍어보고 싶다던가.

......

헉…

흥칫

......

와… 미치겠다.

오늘 왜 이렇게
잘생겼지….

금테 안경 진짜
섹시하다….

!

나야 뭐,
그냥.

잘생겼네…
정도.

뭐야…
재수 없어요…

…!

너 때문에
쉬는 날 바쳐서 달려온
사람한테 왜 그렇게
매정하냐…

아 맞다~
감사합니다~.

…아.

그런 건가,
두 사람….

선배…
이건 제 촬영
스타일이랑은
관련 없이

아무렇게나
찍어도 잘 나오는
얼굴이네요….

그냥
연습샷인데…

메이크업 없는
얼굴이라
더 좋아요.

아니, 이건
안 해도 되는
얼굴에 가깝지….

잘 됐네.

뭐가요?

잠깐
화장실~.

어디 가요?
셀렉
도와준다며!

…거기
탈의실인데?

저….

아

그렇구나.

선배한테
실수했네.

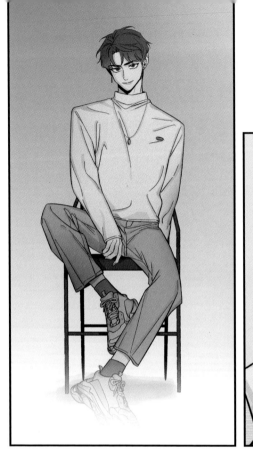

오늘이
첫 촬영인데
너무너무
잘 해주셨어요!

이경 씨
마스크를
찾게 돼서
영광이에요!!

가,
감사합니다….

앞으로 제가 본 촬영에서 작업하고 싶은 방향은

여기서 조금 더 감정이 드러나는 거예요.

이경 씨 마스크가 굉장히 좋은데

처음이라서 표현이 좀 서툴거든요.

앗. 그러니까… 잘못했다는 게 아니고

앞으로 제가 알려드리는 대로 방금처럼 따라와주시면 된다는 거예요!

표정 진짜 못 숨기는 편이구나.

좋았어…

101

자 여기!
촬영 방향이랑
레퍼런스 같은 거
여기에 정리했어요.

끼
익
…

아, 네.

음, 그리고
여기에….

…아.

이 잡지요?

네 맞아요.
여기 이 모델을
많이 참고해주시면
좋겠거든요.
특히,

뭔가를
상실한 표정이
잘 드러나
있는데….

상하 씨.
미안한데.
모델 바꿔주라.

……네?
뭐라구요?

그리고,

이경 씨
그냥 나 줘.

—?

이거 지금

무슨 상황이지?

분위기가 이상한데

설마 싸우는 건….

선배….

이야…

엄청
혼났네…

계속 친절하게
말씀해주셔서

사장님도 그렇게
화내실 줄 아는
분일 거라고는

정말 상상도
못했어요…

첫인상은
첫인상일 뿐
이니까요.

알고 보면 정반대인 사람 많잖아요.

그중 하나가 상하 씨예요.

…….

믈끄렁··

그래도 너무 걱정하지는 마세요.

저한테만 유난히 화내니까…. 에휴ㅜ

…괜찮아요.

……?

저 그런 사람 좋아해요….

······.

옹찔,

흐억

그렇구나.

그럼
잘 됐네요.

아무튼,
그래서….

이경 씨
생각은 어때요?

···!

지금보다
훨씬 바빠질 텐데,
괜찮겠어요?

너도 봤잖아.
이경 씨 얼굴.

웅쎌

······

스륵.

그럼,
이렇게
해요.

각자
일정을 짜서,
이경 씨를 같이
쓰는 걸로.

쓱 쓱

같이
쓴다고…?

좋아. 딜.

척

제
의견은요??

아무튼 그때

내가 욕심
난다고 했어.

…역시
일정에 무리라고
생각하면….

으…
더워

좋아요.

할게요.

하고 싶어요.
형이랑 하는
작업.

우···

고작 이 말을
하는 게 왜 이렇게
떨리는 거야.

무슨 고백이라도
하는 것처럼···

하지만,

이유는 잘 모르겠지만

아니.
잘 모르기 때문에

꾹..

더 알고 싶어.

저 꼭
데려가셔야 돼요.

저도 형 작업
욕심 나니까요.

......!

그,

그럼 저야 고맙구요.

감사합니다!!

제 연락처 드릴게요!!!

아, 그치.

여기요. 홈 비밀번호 없어요.

이렇게도 이어질 수가 있구나.

이대웅 조교

이민성 (WB 아카데미)

이주빈 형

이주은

이하은 (**학번)

꼭 누가 처음부터 계획한 것 같다.

으아아─

휴대폰
번호라니…

그 형이랑 이렇게
연결이 되는구나.
신기하다….

어?

가자,
이주빈.

…어?

아하~

그때 그냥 본인 이름 부른 거였구나!!

뭐야. 그런 거였어?

폿-

…아, 왠지

안심되네….

이경 씨~ 지금 차 타고 나와서 픽업해갈까 하는데..

집 주소 찍어줄 수 있어요? 거절해도 괜찮아요~

헐......

으아아

어쩌지…

못 부르겠어!!!

두근

두근

이제 이름 아니까 이름 불러도 되지 않아??

너무 좋아…

당장 창문 두드려!!!

악악

난 못해!!!!

저ㅡ

ㅡ!

까딱

음….

이경 씨.

혹시 지금
멀미 나요…?

아뇨…
괜찮아요….

차 안에서
온통 형 향기가
나잖아….

저도 정말 오랜만에 오는 거라

안이 조금… 지저분할 수도 있어요.

괜찮아요…….

…아까부터 계속 괜찮다는 말만 하고 있어요, 이경 씨…

냄새라도 나면 어쩌지? 모르겠다, 미리 미안해요.

아… 이게 여기에 있었네.

…….

…좋은 냄새 나는데….

음?

안이 좀 어수선한데 저기 소파에 잠깐 앉아있어요.

사진은 최근인 것 같은데

액자가 엄청나게 낡았어.

옆에 있는 사람은 누구지?

123

차에서 보니까…
컨디션도
안 좋아 보이던데.

소파 깨끗해요.
앉아있어요.

…결국 앉았다.

…… ㄴ

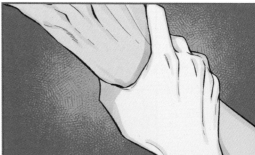

뭐지,
이 기분은.

꾹…

이경 씨.

어…. 어제는 조금 특이했어요.

제 손을 찍으시더라구요.

손이랑, 손에 차는 액세서리 이런 거요.

적응되어가는 차에 촬영까지 간단해서….

……!

가,

간단해서,
괜찮았어요.
잘 도와드렸어요.

…뭐지?

저는

이경 씨 얼굴이
정말 좋아요.

싱긋

……?

…감사합니다.

푸쳐쉬…

으…
미치겠네….

괜히 또 하게
들리잖아;;

그날 제가 무작정 이경 씨 데려온다고 고집 부리긴 했는데

사실 저는…

이경 씨랑 어떤 촬영을 할지 정하지 못했거든요.

…네?

그럼…

조금… 뜬금없는 말이라 이상하게 들릴 수도 있는데

저는 마음이 가장 어지러울 때 사진을 찍는 걸 좋아해요.

그게 사실은,

마음이 가장 어지러울 때만 사진을 찍어와서 고스란히 버릇으로 남은 건지

스스로에게 가장 솔직한 사진이 나와서 그런 건지 저도 잘 모르겠지만

제가 가진 잡생각을 제3자에 투영시켜서 만족하고 싶기도 해요.

이 복잡한 감정은 나만 가지고 있는 게 아니라,

사람이라면 누구나 갖고 있는 거라고 생각할 수 있게끔요.

저는 이경 씨가… 이걸 도와줬으면 좋겠어요.

달그락..

무겁다.

차마 깊게 들여다보지도 못한 생각들이 꽤 무겁다.

쭈륵

그런데… 혹시 저 사진, 친구분이세요?

……네?

아, 아니, 그게….

형 주변에는… 좋은 사람들이 많으신 것 같아서요.

제가 너무 사생활을… 죄송해요.

깜짝!

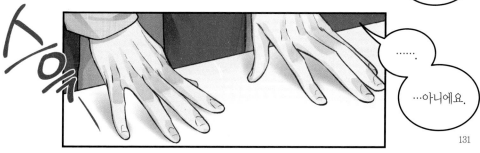

스으윽

…….

…아니에요.

131

친구 맞아요.

…아.

저희 이제
슬슬 작업 방향
애기를 좀 할까요?

순간, 웃고 있는 얼굴 뒤로

보이지 않는 두꺼운 벽이 느껴졌다.

…네.

오랜 기간 겹겹이 쌓이고 굳어진 견고한 벽이었다.

주어진 자료들을 밤새 보다 보니,
갈 길이 멀었다는 생각이 들었다

사장님과 형이 주신 정반대의 표정과
정반대의 분위기의 두 자료는,
이제 막 모델을 시작한 나에겐
그저 뜬구름 같았다.

휴….

늦은 새벽까지 사진을
쳐다본다고 갑자기 카메라가
익숙해지는 것도 아니지만….

이걸 어떻게
표현하라는 건지
전혀 모르겠네….

내게 주어진 레퍼런스를 가지고 공부한다고 해서

카메라 앞에서 온전하게 내 감정인 것처럼
구현해낼 수 있을지 걱정이 된다

게다가 그런 표정은,
연기 같은 걸로
표현할 수가 없어.

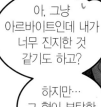

아, 그냥
아르바이트인데 내가
너무 진지한 것
같기도 하고?

하지만…
그 형이 부탁한
거니까,

기왕이면
잘하고 싶네.

역시.

그 사진. 뭔가 사연이 있어 보였어.

형은 필사적으로 숨기는 것 같았지만… 순간 너무 잘 보였는걸.

무슨 일이 있었던 걸까?

…윽.

빨리 그 형이랑 일하고 싶다….

삐빅
삐빅

이경 씨~
저 조금 늦을 것 같아요.

비번은 061700

먼저 들어가있어요!

삐빅

께애-

부끄럽다…

나야말로 너무
들떠서 30분이나
일찍 도착했어…!

실례합니다….

금방 녹을까 봐
아이스 컵을
못 샀는데….

이따
다시 나갔다
와야겠다.

아 참,
그러고 보니
더위를 많이 타시는
것 같았는데
에어컨도 미리…

응?

어라?

사진이
없어졌잖아.

딱 사진만 없어졌어.
치운 건가…

덜컹

픙…

뭐 해요?
여기서.

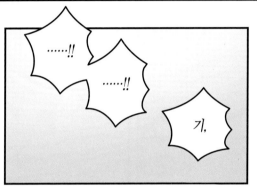

……!!

……!!

기,

기척 좀
내세요…!!!

푸하핫

아니…
뭐 하려나
궁금해서.

그냥 뒤에서
보고 있었는데

놀라는 게
너무 웃겨서…
더 놀리고 싶잖아요.

움찔,

으악......!

하하하

떡.

노, 놀리지 마세요…!

…너무 가깝다!

참나~ 반응이 웃긴 사람 잘못이죠~.

뭐 하는 거야, 나!!!

아! 이경 씨 센스♪

…….

형. 근데

저한테 말 편하게 하셔도 되는데….

음?

그래도 돼요?

그럼요!!!

으… 너무 기다렸단 듯이 대답했다….

저야 훨씬 편하고 좋지만. 그래요!

그럼 이경 씨는—

저, 저는 괜찮아요!

형만 말 놓으셔도….

하아아….

미치겠네….

얼음컵 사옴

오늘따라
왜 이렇게 훅훅 하고
들어오시는 건지….

생각해보면
오늘만 그랬던 건
아니지만….

어라? 테이블
치우셨네.

형?

웹툰
보세요?

응? 응.

?

너!!
화면 봤지!!!

아뇨…?
왜 그렇게
놀라세요.

웹툰 보는 게
뭐 어때서요. 요즘은
취미잖아요.

제 친구도
웹툰 작가예요.

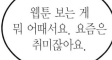

부스럭

역시…
처음 만난 날은
기억 못하시는구나.

…내가 보는 건 좀, 들키면 곤란하거든.

왜요? BL이에요?

…형 거짓말 진짜 못하시네요.

파스스…

하아

하… 이미 들켜버린 거,

친구가 연재하는 건 제목이 뭐야?

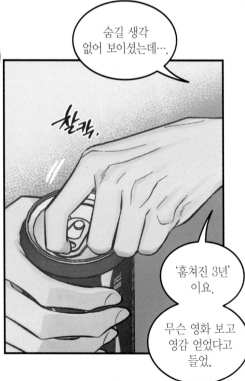

숨길 생각 없어 보이셨는데….

찰칵.

'훔쳐진 3년' 이요.

무슨 영화 보고 영감 얻었다고 들었,

…는데.

와…….

진짜
신기하다.

난 쉴 때마다
웹툰을 보는데, 그게
요즘 제일 좋아하는
연재물이거든.

특히
사람이라서 일어나는
"어쩔 수 없던"
사건들을 1인칭 시점에서
직면하잖아.

난 잔인할 만큼
현실적인 이야기를
좋아하거든.

아, 이건
그 정도로
삭막한 내용은
아니지만…

영감 받았다는
그 영화… 뭔지
알 것 같아.

…갑자기
말 많아지셨어.

아무튼 정말,
누구의 삶을
가까이에서 들여다보는
기분이었어.

신나 보여…

……그게
사실은 제가,

147

공감되니까….

…형은,

그런 갈등을 겪어본 적이 있어요?

하.

피곤해….

형은 그런 갈등을
겪어본 적이 있어요?

…그게 대체
왜 그렇게
궁금한 건데.

이기적인 이유로 이렇게 가까이에
그 애 발목을 잡고 있는 내 잘못도 있지만

그래도. 갑자기
훅 들이닥치면 부담스럽다고!

아무리 내가

혼자인지 조금… 됐다고 해도

누군가가…

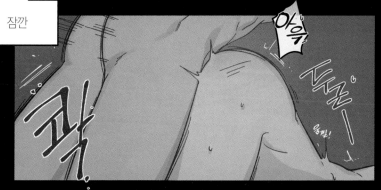

어…

잠깐

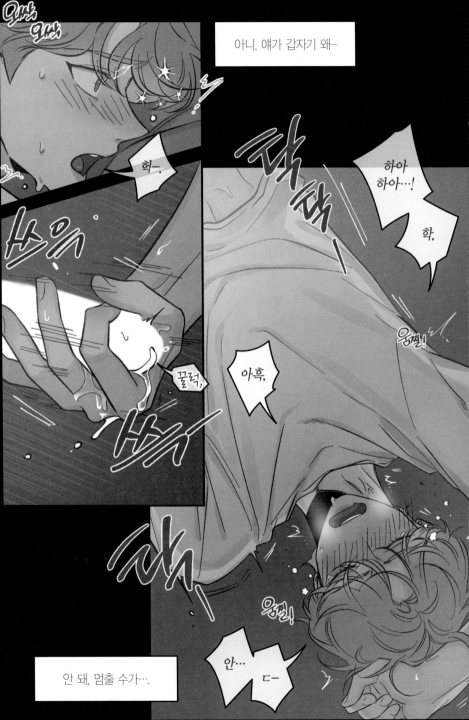

으, 흑…

으응…!

…….

……하아.

하아….

…방금 전에
절대 안 된다고 생각해놓고

씹….

지금 뭐 하는 거야.

첫사랑이 있었다.

뻔하고 유치하다고
말할 수도 있고

또는 낭만적이라고도
할 수 있는

그런 사랑이 있었다.

하지만 그 사람이
내 첫사랑이었다는
사실은

나조차도
잃어버린 이후에나
깨달았기 때문에

나에게 첫사랑은

뻔하고 유치하지도

낭만적이지도
못했다.

처음에는 단순히

익숙해서
신경 쓰였다.

우연히
다시 만나게 된
그날에는

너무 닮아서 떠올랐다.

대놓고 그어진 방어적으로 그은 선을

자신도 모르게 넘는 모습에

금방 철없이 기대하고

돌아와서 괴로워했다.

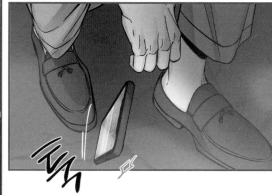

너는 내가 잃어본 것과
너무 닮아있어서

외로워서 만나온 사람들과
똑같이 대할 수가 없어.

어떻게든,
우리가 다시 남이 됐을 때
내가 느낄 상처나 외로움이

너무 무섭거든.

이번주 촬영 회의 쉽게

상하 씨 촬영 잘 도와줘

그날 결국

질문에 대한 답은

형은 그런
갈등을 겪어본
적이 있어요?

누구나 있겠지?
그런 건.

받을 수 없었다.

설마,
그날 때문에
불편해진 건가?

확실히…
내가 불편할 질문을
자주 하긴 했어.

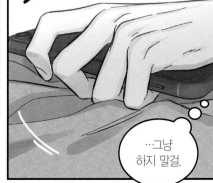

꼬우으…

…그냥
하지 말걸.

사실은,
편하게 얘기
나눌 수 있을 만큼
가까워진 것도
아닌데

말 좀
편해졌다고 내가
착각한 건가.

주빈 선배
신경 쓰이죠.

어,
어떻ㄱ…

안 그래도
지금이 딱
'그 시기'거든요.

…그 시기요?

아,
근데 이거
막 알려주면,

선배가
엄청 잔소리
할 것 같은데.

근데,
이경 씨가
지금 너무 궁금해
하시니까.

!…

움찔.

진짜 하나도
못 숨긴다니까….

주빈 선배
분명히 만나면
또 멀쩡한 척
할 거거든요?

그날은 그냥
기분 전환 겸
같이 나가서 영화나
보자고 해봐요.
맛있는 것도
좀 먹고요.

뭐가 됐든
그날은 이경 씨가
선배 가까이에서
좀 챙겨주세요.

뭐가 됐든~

그 날은 이경 씨가 선배 가까이에서 좀 챙겨주세요.

......

월요일

좀 있으면 형 사무실로 출근해야 하는데

아직까지 **아무것도** 못 정했다···

형이 좋아하는 영화 장르는 모르지만 물어보면 대답해줄 것 같긴 한데···

딱히 보고 싶지 않은데도

보자고 하면 마지못해서 좋다고 할 게 분명해.

그렇다고 저녁을 먹기엔 너무 이른 시간이고···

…어라.
이거 완전

턱

두근

두근

실룩.

두근..

데이트 코스
짜는 것 같다…!

잠깐….

틱

형이랑 데이트?

완전 좋아···

으악!!

끔짝

허어,
뜨거워···.

ㅠㅠ

슥슥··

그러고 보니

나는 언제부터
이렇게까지 그 형을
좋아하게 된 걸까?

잘 생각해보면

점점 가까워지니까
더 알고 싶어졌고

조금씩 알게 되다 보니
당연한 수순처럼
욕심이 생기고

처음과는
많이 다른 모습이
신경 쓰였어.

그리고 무엇보다

예쁘고…

털썩…

아,
이건 진짜

중증이다….

주빈 작업실 앞

또 30분이나 일찍 와버렸잖아…

아직도 아무 계획이 없는데 발걸음이 점점 빨라져서 그만…!!!

슈으윽

……?

으아악

최이경 진짜 요즘 들어 왜 이러는 거냐!!!

어떡하지? 일단 들어가??

갸웃

......ㄴ

멈칫.

이경아.

안 들어가고
여기서 뭐 해?

-!!!

휙

아….

안녕하세요….

응 안녕~.
들어갈까?

만나면 또
멀쩡한 척
할 거거든요.

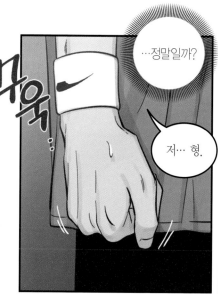

…정말일까?

저… 형.

?

응?

……!

이경아.

깜짝

혹시 지난 주
그 일 때문에
이러는 거면…

—아,

역시 이상하게 보시잖아…!!

으음…

우리는… 작업할 때마다 같이 있잖아.

…이렇게 떠보기 싫은데.

…?

아, 그, 그죠! 그렇긴 한데

그러니까 제 말은…!

풉,

하앗—

푸핫… 아니,

아니야! 알아들었어.

오늘은 그냥,

땡땡이 치자는 거지?

고용주랑 같이.

…….

말하자면 그렇죠……

월요일 오후라, 어딜 가도 한적하긴 하겠어.

하고 싶은 게 따로 있는 거야?

저질렀어….

아, 저 혼자 꺼내서 보는 거 말고

형이 직접 찍은 사진에 대해서 얘기해주시는 게 듣고 싶어서요.

안 될까요?

※연출입니다.

...!!

어, 어려운 것도 아닌데 왜 안 되겠어!

저게 툭하면 얼굴로….

화아아

...!
감사합니다!!

왜 이렇게
좋아하는 거야···
뭘
감사까지···.

그런데
작업실에는 너도
이미 회의 때 본
외주뿐이라서.

집을 좀
들러야 하는데.

아···?

집이요?

응.
위층이야.

여기 혼자 있긴
좀 그러니까

그냥 같이
올라갈래?

사태 파악 중

...형 집에요...?

자,

잠깐!!

전개가 이렇게 된다고?

이렇게 순식간에??

끼이익...

결국 오늘은 집들이야? ㅋㅋㅋ

짐은 네가 편한 곳에 놔도 돼.

마실 것 좀 가져올게. 잠깐 앉아있어.

네…!

어쩐지 이 상황 익숙한데…

이상한 상상은 무슨…,

뻘쭘하기만 하네.

만지작.

이경아.

자!

수욱

191

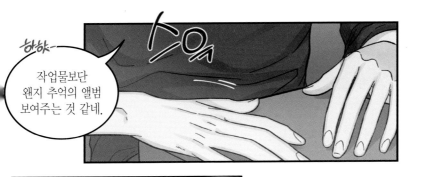

작업물보단
왠지 추억의 앨범
보여주는 것 같네.

이렇게 가까이에서 형 얘기를 듣게 되다니

정말 생각지도 못한 전개지만

좋다.

웃는 얼굴
진짜 예뻐…

...정말
좋아한다구요.

짜아앙…

피잘락

나도 이거
한 2년 만에
보는 거야.

오랜만에 보니까
민망하고 재밌네.
자주 볼….

...아.

촤르륵,

—음,

내가 제일
좋아하던 사진이,
뒷장에

털썩

195

있는,

…데.

형.

내가 지금

무슨 짓을
하고 있는 거지.

알려주시면…

안 돼요?

이래도
되는 걸까?

…이경아.

하지만 이게 아니라면,
이제 이 상황을
어떻게 돌릴 건데?

여기까지
오게 된 건 전부
우연이었다고 해도

이게 지금
뭐 하는,

-!

꽝

응

옹쩔.

그때도
이렇게

피하셨잖아요.

웃….

저한테
할 수 없는
얘기라면

그냥 못한다고
말해주세요,
형.

지금부터는

저한테만

이 이야기,
피하시잖아요.

내가 이 이야기를
만들어가고 싶어

전날, 주빈은
결심했다

스스로를 갉아먹던
연애관을 이젠
끝내겠노라고.

이제까지
이경을 경계하고
선을 그었던 건,

과거를 놓지 못한
자신의 미련함
때문임을
인정했다.

그냥 평범하게
대하는 거야.

이제까지
남들한테는
잘 해왔잖아.

처음
만났을 때처럼
대하자.

소름 끼쳐
할 테니까.

하지만 이날

주빈의 굳은 결심을
단번에 무너뜨리는

변수가 발생하고 만다.

어… 어떡하지…?

형 손을 너무 꽉 붙잡고 있던 바람에…

…이거 놓고 말 숭…

형이 내치는 걸 못 놓고 그만…

휙

으아악?!?!

두근 두근

두근..

그건 그렇고, 왜 가만히 있는 거지?

무슨 생각을 하시는 건지 전혀 모르겠어…

아… 진심으로

섹스… 해버리고 싶다.

…라고 생각했다.

내가 미쳤지.

결심한 지 얼마나 됐다고 굶주린 것처럼 굴어…

틀린 말은 아니지만…

그나저나 또 티를 냈잖아!! 왜 얘 앞에서는 자꾸 바보같이 구는 거야?!

하지만 이건 진짜 너무하네….

놓치는 건 전적으로 내 손해 아냐??

그래!!

지금이라면… 대답해주실 수도 있어…!

바보….

형, 정말 안 알려주실 거예요?

…야, 너.

전부터 자꾸 선을 넘는데 그게 대채 왜 그렇게까지 궁금한 거야?

향수? 아냐…
바디 로션인가?
그냥 샴푸?

아까부터
좋은 향기 나…!

쌍…

딱 저한테만
안 알려주시잖아요!

형 주변에
있는 사람들은…
전부 다 알고 있는
것 같은데…

왜…
저만 왜…

안절
부절..

조금
귀여워 보이는데
망한 거겠지.

??
잠깐…
이상하 이 자식
무슨 말을 한 거야,
얘한테?

미안~!

하하
하하

그야,
너는 나랑
만난 지 한 달도
안 됐으니까…

그보다
지금 자세
엄청 불편하거든?
좀 비켜줄―

형.
혹시….

그 사람…
말이에요.

못 알려주시는
이유라도…
있으신 거면,

그만,
그만 말해!!

꾸욱

저….

…….

와아….

엄청 참는 얼굴….

저, ㅎ-

아니, 최이경.

그만.

그만, 이라니

이게 누구한테 하는 말인지….

…!

형이 싫으시면, 저도 그만 물어볼게요….

형이 싫은 건 저도 싫어요.

그래… 더 이상 괜한 미움 사지 말자.

213

안 물어볼게요,
이제.

......

알겠으면
좀 일어날래?

...!
무, 무거우셨죠
죄송해요.

응...
무거웠어.

진짜
죄송해요...

무거운 게
문제가 아냐
인마...

무, 물 좀
마시고 올게.

내 집인데 왜
얘한테 허락을
받고 있지?…

……

네…

꽉–

갑자기 왜
키스한 거지?
의미 같은 거…
물어보면 싫어하실 텐데.

왜 저렇게
쳐다보는 거야…

뭐였지, 방금…

…아냐.
의미 그런 게 어딨어.
형이 하고 싶으면 하는 거지…

215

광기…

하아.

이놈의 작업은
작업실만 오면
더 하기
싫단 말이지.

솔직히…
갑자기 시작하려니
의욕이 안 생겨.

그땐
응원해주는
사람이라도
있었지….

잘 안 돼요?

어, 얼추 틀은 잡혔지만, 네가 모델이다 보니까.

뇌색

너한테 어울리는 사진을 찍고 싶은데

너에 대한 파악이 잘 안 돼서.

물끄럼

아아….

! 어, 이거.

형
홈페이지예요?

응.

FASHION
AD
CELEBRITY
-
CONTACT

와!!!
신기하다!

저도
봐도 돼요?

바짝!

깜짝

어어... 응.
여기 마우스.

기분
좋아보여...

그나저나
얘는 저번부터

가까이 올 때마다
상쾌한 향기가 나네.

221

자취생이라면서 흔한 집 냄새도 안 나고… 대체 무슨 향수지?

끙..

우왁~

그, 그만 봐. 트랜드 따라 찍은 거라

별로 좋아하지도 않아.

AD

달칵

달칵

광고에서 본 사진이 있으니까 신기하기만 한데요?

우와… 이 사진도 있네.

슈

움찔

이게 다 형이 찍으신 사진이었….

…구나.

발그레..

……?

뭐, 뭐야. 왜?…

끼릭…

……!

이 자식이…!

요즘 왜 이렇게 대담해진 것 같지?

처음에는 이렇지 않았잖아?!

야…

…너,

……?

와들 짝ㅡ

!!

헉, 죄송해요!

???

뭐야…?

와, 나도 모르게
키스할 뻔했어…

사귀지도 않는데
이러는 건…

???

ㅇㅇㅇ…

역시
실례잖아!
정신 차려!

껴웅..

흥!!
웃기는
소리…

키스 정도는
할 수 있는
거라고!!

……

뚜긴…

해도
되는데.

휙

네? 방금
뭐라고…

자꾸 이러면
한도 끝도
없어지는데…

그걸 누구보다
잘 알고 있으면서
왜 자꾸…

휙딱

쟤한테
말려드는 거야…

키스도 의외로
잘 한단 말이야.

진짜 이제까지
꼬시려고 일부러
바보처럼
군 거라면…

까릭.

너무
싫은데.

하아

끄윽...

…?

형…?

슥

그만할래.

키스가 별로라서
그러시는 거…

맞죠?

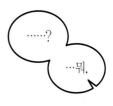

……?

…뭐,

뭐라고…?

그게
무슨 소리야.

그럴 리가
없잖아…!!!

오히려
일 칠까 봐
참는다고!!

아니, 쟤는
표정은 맹한데
왜 저런 선수 같은
질문만 하지?

아, 아니?
왜 그렇게
생각하는데…?

애써 아니라고
말해준 거겠지…

완전
이건 뭐냐는
표정이야…

니미ㄹㅁ…

반은 맞고 반은 틀림

형.

형은…
연애 많이
해보셨죠?

어…
적진 않지.

왜 얘기가
이렇게 흐르지?

으윽

뭘 또
착실하게
대답하고 있어
나는…

……

그,
그렇죠?

왜지
그러실 것
같아서요.

무슨
뜻이냐…

읽씬…

음... 금방 헤어져서 그래.

나는 확실한 게 좋은데, 사실 요즘 그렇게 하면서까지 연애를 하고 싶어 하는 사람이 없잖아.

연애를 많이 하니까 눈치는 느는데

확실한 게 없으니까 나도 지치더라고. 그래서 직접 말해주기 전까지는

그냥 무시하고 지나치게 되더라.

달깍 달깍-

......형.

꾸욱

내가 지금
제대로
들은 건가?

……!

더 이상
이런 식으로
엮이지 말자고
그은 선이

왜 이제 와서
자극제가
되는 건데…

저는
아직까진

지금처럼
형 옆에서
좋아하기만 해도
괜찮은데요,

만약 형은
그게 싫으시다면

그게
언제가 됐든

여기서
제 욕심이
더 커지기 전에

확실하게
끊어주실 수
있으세요?

쟤는 어떻게
저런 말을 할 줄 알지.

……．

좋아한다는 말에
돌아오는 대답이 없어도

어떻게 괜찮을 수 있다고
확신할 수 있는 거냐고

조금도 불안하지 않아?

초조하다거나?

응.

알겠어.

…감사해요.

와…,
말해버렸어.

손에 땀이…

그런데

나도

싫어하는
사람이랑은
키스 같은 거
안 하거든.

깜짝

……!

…그 말은,

근데 나도
부탁이 있어.

생각할 수 있는
시간을 줘.

물론 너는
대답이 어떻든
상관없다고
했지만….

좀…
기다려줘.

240

일주일 뒤

와아―

진짜 오랜만에 나온다.

엉덩이랑 의자가 붙는 줄 알았어.

아 맞다. 안린! 연재 시즌 마무리 축하해~.

땡큐… 잠깐. 그럼 커피 정도는 니가 사야 하는 거 아니야?

왜 내가 산 거냐고…

243

아, 뭐
아무튼 간에.

사귀고 난
다음 날 아침부터
헤실헤실거리고.
얼굴로 광고했지.

…난 니가 더
귀신 같다….

언제적을
어제처럼
기억하고 있어…

이번엔 도대체
누구길래 최이경을 막
들었다 놨다 해?

으음….

나 알바
하는 거 알지?

알지.
사진 모델.
오래하네?

거기
대표님인데….

SURF ME TO THE OCEAN

…너 지금

벌써 차기작
소재 던져주는 거야?
장난치지 마….

알바랑 대표라니…
기 빨려서 그런
하드한 건
당분간은 좀.

너던 취향 참

무슨 생각을
하는 거야!!
그런 거 아니야!!

※며칠 전 자료 화면

내가 못 참고
좋아한다고
말해버렸어.

나도 내가
이러는 건 처음이라서
얼떨떨하지만….

처음엔 조금
당황하신 것 같긴 했는데,
생각할 시간을 달라고
하시더라고.

그래도
요즘은…

247

…진짜 많이
가까워졌어.

대표님…과
끝내주는 썸을
타고 있나 본데.

그래도
너 오랜만에
좋아죽는 거 보니까
웃기고 반갑다.

종강해서 다행이지,
이러고 학교 다녔어봐.
다 피해 다녔을걸.

잠을 못 잤을 뿐인 이경

안린 안녕…

아 깜짝아
상태가 왜 이래

파스스

꼬르륵

배가 고플 뿐인 이경

그 정도는
아냐….

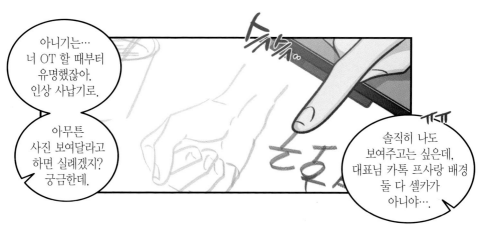

아니기는…
너 OT 할 때부터
유명했잖아.
인상 사납기로.

아무튼
사진 보여달라고
하면 실례겠지?
궁금한데.

솔직히 나도
보여주고는 싶은데,
대표님 카톡 프사랑 배경
둘 다 셀카가
아니야…

어?

? 왜??

나 이따 바로
알바 가거든?

근데 대표님이
커피 사오신다고…
뭐 마실 거냐고
물어보셔서.

깜짝!

...형?!

왜 여기
계세요?!

?!

응?
왜 이렇게
놀라.

나야말로
들어왔더니
너 보여서 깜짝
놀랐어.

형?

놀.. 껌...

설마 최이경이
방금 말한
그 대표님?

와...
연예인인 줄
알았어...

최이경
제법인데...

...???

그나저나
이거 커밍아웃인가?
왜 이렇게까지 놀랍지가
않은 거냐...

스그릅

이날 안린은 앞으로 작업 중에 절대 이경에게
자문을 구하지 않겠다고 다짐했다…

미안,
순간 너무 깜짝
놀라서….

나 알바하는
스튜디오
대표님이셔.

안녕하세요.
놀라셨을 텐데
죄송해요.

반짝

반짝

그나저나
형이라니…
진짜 동안이다.

아, 아니에요.
안녕하세요.

그리고
이쪽은….

몇 분 전

너는 그걸
왜 이제 말해.

이런 거 중간에
사람 통해서 말하면
쌍욕하실 거면서?

당연하지.
운전 중이니까
용건만 말해.

ㅋㅋㅋ

거봐요, 사장님.
내가 맞혔죠?

짜증

괜히 쓸데없는
소리 하지 말고 나중에
시간 날 때 스튜디오
앞으로 와.

내가 직접
갖다줄 거니까
들어오지 말고.

어라….

그 수고를
해주겠다?

253

왔다 갔다 시키는 거 죽어도 싫어하지 않았어요?

뭐야. 설마 작업실 안에 뭐 숨기는 거라도 있—

시끄러워. 끊어.

뚝

……

그새 더 까칠해졌네.

문열…

이러면

좀 놀리고 싶어지는데….

미친놈. 헤어지니까 다시 존댓말하는 것도 재수 없어.

하여튼 요즘 이놈이고 저놈이고 머리만 복잡하게 만들지, 아주.

빠드득···

~♪

이놈 ▶

◀ 저놈

특히 최이경.

···왜 걔는 떨어뜨리려고 할수록 반대로 되는 거야? 요즘 들어 더 느물느물 끈적거려서 떨어지질 않아···.

끄응··

차라리 얼굴 보자마자 그날 확 덮쳐버리고 쫓아낼걸 그랬나.

키스한 날마다 혼자 해결하는 것도 한두 번이지, 이 나이 먹고 무슨 짓이냐고···.

255

그치만⋯.

그 자식
얼굴만 보면

도저히 밀어낼 수가 없어져서⋯

젠장⋯.
보고 싶잖아.

고작 키스
몇 번 했다고 나도
미쳤나 봐⋯.

며칠 전,
다소 갑작스러웠던
고백을 받은 후로

새빨갛게 익었던
얼굴이 하루에
열 몇 번은 생각난다.

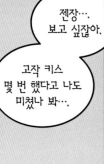

홧김에 거절하지 못하고
기다려달라는 둥,
드라마 속 뻔한 대사 같은
대답을 해버렸지만

애매한 대답에
우물쭈물하던 얼굴이
좀 귀엽다고 생각했다.

어려서 그런가?

아니, 걔만 유독
그런 것 같다.

남자들한텐
섹스하고 싶단 말이 거의
고백이나 마찬가지였던
과거를 생각하면…

그런 풋풋한
고백이라니,
기분 이상해.

정말 좋아한다는
얼굴이었단 말이야,
그건….

그런데 어떻게 그렇게 생긴 얼굴에 연애 경험이 고작이냐고!!

주변에 짝사랑하는 여자애들이 수두룩 했을 텐데, 그 바보가 눈치가 없던 거겠지!!

정답….

또래 예쁜 여자애와 사귀지,

걔 왜 하필 나를….

욱신…

……?!

으엑, 나까지 고등학생이라도 된 것 같네….

휴, 커피를 마셔야겠어.

…최이경 것도 사가야겠다.

문자 남겨야지

STARLUCKS COFFEE

대체 뭐야

이 상황은.

...아.

또래
여자애.

그리고 이쪽은…

……

어어…

……

제발 말하지 말라는 무언의 눈빛

역시 직업으로 소개하는 건 부끄러우려나…

으음… 그냥 제 친구예요.

왠지 얼버무리는 느낌인데…?

삐끽

아!

아직 시간 많은데 좀 앉아있다가 가실래요?

제가 저기서 빈 의자를-

아니!!

아, 난 괜찮-

깜짝

…어?

깜짝이야

?···

SURF ME TO THE OCEAN

아니야!

나 어차피 약속 있어서 곧 나가야 했어!

최이경 미쳤나 봐… 좋아하는 사람이라고 하지 않았나??

쟤 진짜 갈 길이 멀다, 정말….

저 호구가 눈치 없긴… 고백했다며, 이 자식아!!

……?

◀ 저 호구

내가 나중에 연락할게!!

어? 어…! 잘 가!!

......

이상하다···
별일 없었는데

왜 형이 묘하게···.

형···?

괜찮으세요?

···아, 어.
괜찮아. 미안.

기분이
안 좋아 보이지.

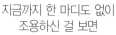

평소 같으면 밥 먹었냐,
오늘 덥지 않냐 같은

간단한 말이라도 주고받았을 텐데

지금까지 한 마디도 없이
조용하신 걸 보면

뭔가··· 기분이
안 좋으신 게
맞는 것 같다.

뭐지? 왜?
커피를 먼저
마셔버려서??

아.

창백

집에 유에스비를 두고 나왔네.

이경이 너 먼저 스튜디오에 들어가있어.

뒤적

?!

형 없는 스튜디오에서 혼자 기다리라니

그게 더 무섭다구요!!!

SURF ME TO THE OCEAN

금방 올….

저도 같이 갈게요!!

깜짝

?!

찬물은 냉장고에 있고, 그냥 정수기 써도 돼.

마시고 잠깐 거실에서 기다리고 있어.

네…

형 집 오랜만이다…

여기에서… 형이랑 그런 일이 있던 이후로는 처음…

…음, 민망하다…

......?

너무 안 나오시는데…

설마 안에서 무슨 일 생긴 건 아니겠지? 아니면 깜빡 잠드셨나?

노크라도 해보자….

아까부터 손에 식은땀이…

그리고… 아까부터 계속 신경 쓰였는데

기분이 왜 안 좋은지, 내가 실수라도 한 건지 물어봐야….

달칵··

주르르르

이거 뭐야?

설마

꽈악

두근

나 지금
흥분한 거야···?

두근

두근

내가 언제부터
사람이나 상황을 가렸다고.

···그냥 여기서

엉망진창으로 박혀버리고 싶다.

머리가 새하얗게 돼서

눈앞에 별이 튀고

아무 생각도
할 수가 없을 만큼

우왓, 깜짝이야!

-아.

안 나오시길래

무슨 일 있는 줄 알고….

어?

이건 차에서도 맡았던 그 향기? 형 체향인가, 엄청 진하다….

아… 이러면 안 되는데, 자꾸 왜 이러지….

276

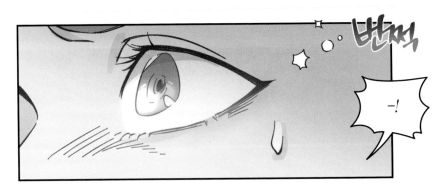

…
아니잖아요.

역시 뭐
실수한 거죠?

저는 형이
안 알려주시면
잘 몰라요.

...두근..

너, 너 인마
이거 안 봐?!

내가 내 기분을
너한테 하나하나
다 알려줘야 해?

너 진짜
네가 뭐라도
되는 줄
알아…?!

욱신

…!

으응.

끝까지 말
안 해주시는 건가.

형은 매번
왜 저한테만
안 알려줘요?

왜,
왜 저만…

부족하더라도
잘 보이고 싶어서
노력하고 있어.
어떻게 형 대답을
기다리기만 해요.

전 잘하고 싶은데
왜 이렇게까지
고집을 부리시는
거냐구요, 왜.

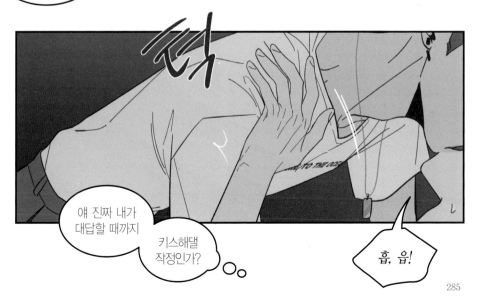

뚝

얘 진짜 내가
대답할 때까지
키스해댈
작정인가?

흡, 읍!

아,

컥─

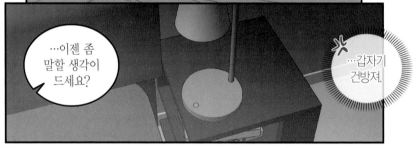

…이젠 좀 말할 생각이 드세요?

…갑자기 건방져.

하아.

이제 알려주세요.

뭐가 문제였는지.

콜록─

콜록!

SURF ME TO THE OCEAN

나를 만난 것, 그리고 지금까지 네가 나한테 해온

모든 행동들, 말, 표정 전부 다 네 잘못이라고 말하면 어쩔 건데.

없어. 그런 거.

하지만 넌 아무 잘못이 없고, 나도 그건 알아.

그러니까 비켜.

줄곧 부정해왔지만 더 추해지기 전에 인정해야겠지.

나는 지금 나보다도 어린 놈한테

답지 않게 생떼를 쓰고 있는 거라고.

......

하아

그리고 좀 비켜. 무겁단 말이야.

너 자꾸 이런 식으로 월급 도둑질ー

이건

이건…
네가 먼저
시작한 거야.

앗,

나는
안간힘을 써서
참고 있었는데

그날 처음
너를 본 순간부터
지금까지 계속

그날
처음…?

너를…
참아주고
있었는데,

니가 먼저
시작한 거라고.

…네.
네. 맞아요.

왠지 울 것
같은 얼굴….

291

형이 어떤 걸 좋아하고 어떤 걸 싫어하는지

전부 다 알려주세요.

저런 간지러운 말을 아무렇지도 않게 잘도 하네….

…무작정 넣으면 피 날 것 같은데.

??

…딜도?

저게
왜 저기서
나와…?

하아―

하으,

잠깐만…

헉…

윳…. 기다려, 곧…

아

그렇구나

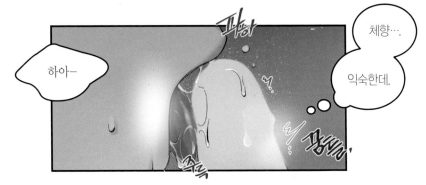

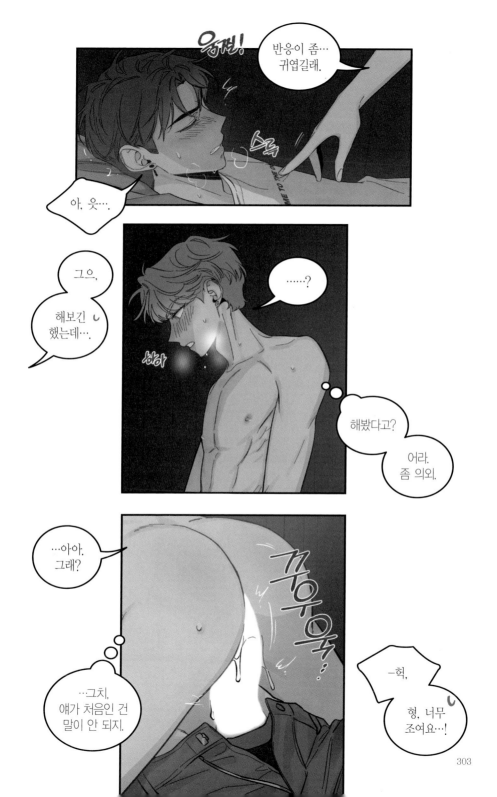

너 이거 명백한 흉기 소지야.

꾹 팔뚝이잖아, 이건…

으악!!! 제발 그만 말하세요!!!

지는 나한테 잘만 질문하면서. 웃기네….

더-놀리고 싶다

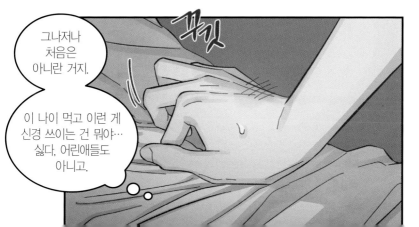

그나저나 처음은 아니란 거지.

이 나이 먹고 이런 게 신경 쓰이는 건 뭐야… 싫다, 어린애들도 아니고.

씨익-

잘 해본다며?
실수 없이.

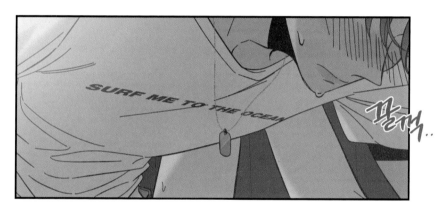

SURF ME TO THE OCEAN

꿀꺽..

아아...!

멈칫,

주룩—

...저어,
그래도

저도 모르게
아프게 할 수도
있어요.

너무 아프면
바로 말을....

혁

혁..

슥

?

311

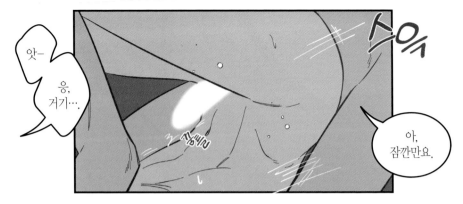

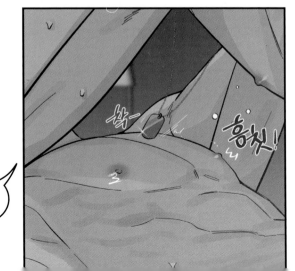

앗…

뭐지?
차가워.

…….

차락

…?

왜요?

…아.

계속할게요?

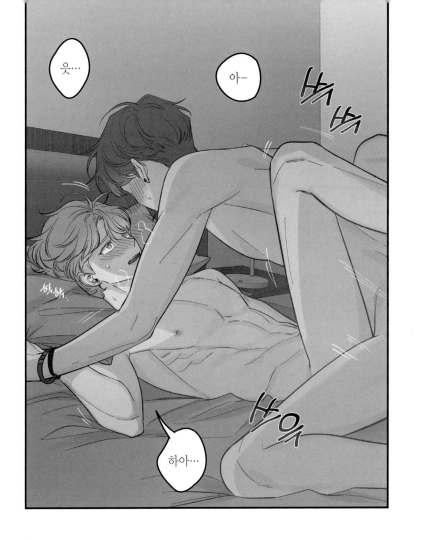

저런 표정도 할 줄 아네….

…그런데 너무 내 얼굴만 쳐다보는 거 아냐?

아까 그 상처도 신경 쓰고 있는 것 같고….

워낙 커서 기분은 좋은데 왠지 부끄러워.

아… 안되겠다.

……?

자세 바꿀래.

부,
불편했어요?!

깜짝

부스

그런 건
아니고….

다정한 섹스가
훨씬 자극적이고
무섭다는 말

섹스 못하는 놈들의
변명거리인 줄 알고
그냥 비웃었는데

……

수슥

두근

두근
쾅…

이제야 알겠어.
아까부터 온몸이
타들어가는 것 같아.
못 버텨….

아, 아무튼

잠깐
빼볼래?

…!

멈칫

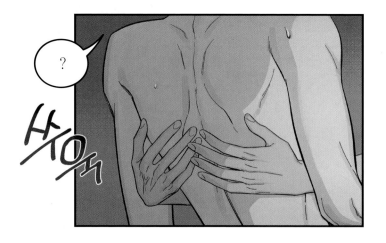

321

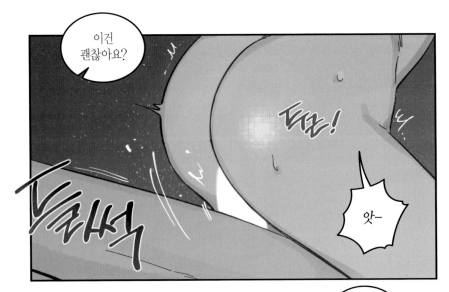

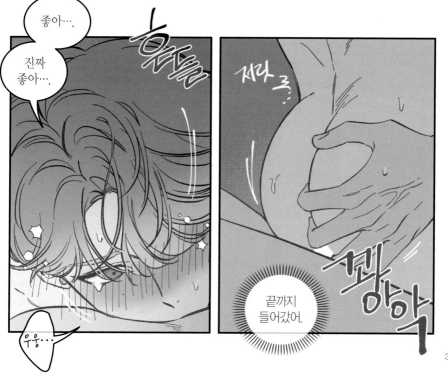

…아.

저,

저도 갈 것 같아요….

헉.

아무리 가까워도

멀리서만 볼 수 있었던 주빈이 형이

이경아… 웃,

하아

으윽…

아아아…

혁…

"욕심 나네."

욕심이 나

스케치 시즌1 주빈 FOCUS 1

2024년 1월 31일 1판 1쇄 발행
2024년 2월 28일 1판 2쇄 발행

글·그림 도삭

발행인 황민호
콘텐츠4사업본부장 박정훈
책임편집 강경양 | **편집기획** 김사라
디자인 All design group 중앙아트그라픽스
마케팅 조안나 이유진 이나경 | **국제판권** 이주은 한진아 | **제작** 최택순 성시원 진용범
발행처 대원씨아이(주) | **주소** 서울특별시 용산구 한강로 3가 40-456
전화 (02)2071-2018 | **팩스** (02)749-2105 | **등록** 제3-563호 | **등록일자** 1992년 5월 11일
www.dwci.co.kr

ISBN 979-11-7203-144-2 (07810)
ISBN 979-11-7203-143-5 (세트)